사 우 연 주 하 다

mirutree

차례 Contents

1. 예수가 우리를 부르는 소리

Softly and tenderly Jesus is calling

새528 통일318

W.L.Thompson 사, 곡

예수가 우리를 부르는 소리

Softly and tenderly Jesus is calling

2. 완전한 사랑

O perfect love, all human thought transcending

새604 통일288

D.F.B.Gurney 사
J.Bamby 곡

완전한 사랑

O perfect love, all human thought transcending

3. 신자되기 원합니다

Lord, I want to be a christian

새463 통일518

흑인영가

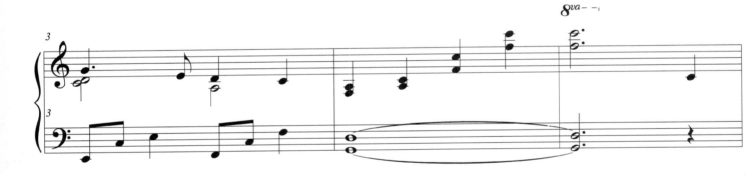

신자되기 원합니다

Lord, I want to be a christian

4. 주 날개 밑 내가 편안히 쉬네

Under his wings I am safely abiding

W.O.Cushing사
I.D.Sankey곡

새419 통일478

4. 주 날개 밑 내가 편안히 쉬네

주 날개 밑 내가 편안히 쉬네

Under his wings I am safely abiding

5. 죄 짐 맡은 우리 구주

What a friend we have in Jesus

J.Scriven사
C.C.Converse곡

새369,통일487

죄 짐 맡은 우리 구주

What a friend we have in Jesus

6. 다 찬양하여라

Praise to the Lord, the almighty

J.Neander사
Stralsund Gesangbuch곡

새21 통일21

다 찬양하여라

Praise to the Lord, the almighty

7. 저 높은 곳을 향하여

I'm pressing on the upward way

새491 통일543

J.Oatman,Jr.사
C.H.Gabriel곡

저 높은 곳을 향하여

I'm pressing on the upward way

8. 참 아름다워라

This is my father's world

새478 통일78

M.D.Babcock사
영국전통민요

참 아름다워라

This is my father's world

9. 성자의 귀한 몸
Saviour, thy dying love

새216 통일356

S.D.Phelps사
R.Lowry곡

성자의 귀한 몸

Saviour, thy dying love

10. 만유의 주재
Fairest Lord Jesus

새32 통일48

작사 작곡 미상

만유의 주재

Fairest Lord Jesus

11. 하늘가는 밝은 길이

The bright, heavenly way

새493 통일545

J.H.Lozier사
Lady J. Scott곡

하늘가는 밝은 길이

The bright, heavenly way

12. 이 세상 험하고

I hear the saviour say

E.M.Myers사
J.T.Grape곡

새263 통일197

이 세상 험하고

I hear the saviour say

13. 예수 나를 위하여

Jesus shed his blood for me

새144 통일144

김인식 사
W.H.Doane곡

예수 나를 위하여

Jesus shed his blood for me

14. 나의 영원하신 기업

Thou, my everlasting portion

새435 통일492

F.J.Crosby사
S.J.Vail곡

나의 영원하신 기업

Thou, my everlasting portion

15. 내게 있는 모든 것을

All to Jesus I surrender

새50 통일71

J.W.Van Deventer사
W.S.Weeden곡

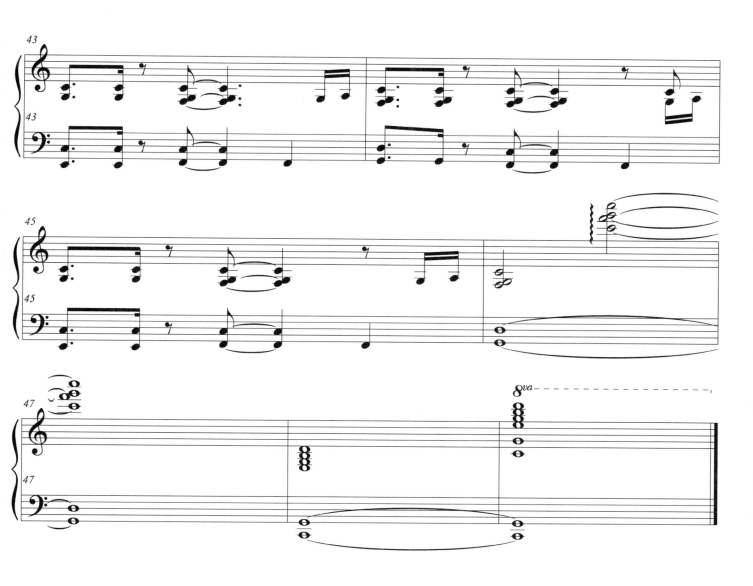

내게 있는 모든 것을

All to Jesus I surrender

16. 나 주를 멀리 떠났다

Thou, my everlasting portion

새273 통일331

W.J.Kirkpatrick 사 곡

나 주를 멀리 떠났다

I've wandered far away from God

저자소개

이 사 우

이메일 playworship@gmail.com
페이스북 www.facebook.com/leesawoo
유튜브 채널 https://www.youtube.com/user/playworship207

예수전도단 서울 화요모임 키보디스트로 시작하여
로드페이스, 노래하는 순례자 등에서
크리스천 음악 프로듀서이자 키보디스트로 활동하였습니다.
미루 기루 두 딸의 아빠이자, 축복송 <너는 그리스도의 향기라> 작곡자로
현재 대구예술대학교에서 실용음악을 가르치고 있습니다.

주요 음반
로드페이스 1-2집
예수전도단 서울 화요모임 1-3집
「同行(Sawoo Worship with Guhyunhwa)」
피아노 작곡집 「사우 연주하다 그래...」
피아노 연주곡집 「사우 연주하다 Worship」
피아노 연주곡집 「미루의 자장가」

주요 저서
『어메이징 그레이스로 배우는 리듬 반주 35』
『어메이징 그레이스로 배우는 리하모니제이션 35』
『CCM으로 배우는 리하모니제이션 35』
『초보자를 위한 신디사이저』
『어메이징 그레이스로 배우는 음색 반주 13』
『예배 반주자를 위한 피아노 워십(찬송가편&CCM편)(공저)』

미루트리에서 펴낸 이사우 저자의 책소개

어메이징 그레이스로 배우는 음색반주13

"스트링, 브라스, 오르간, 클라비넷, 신스,,,
혹시 다양한 음색을 피아노 연주하듯이 연주하고 있지는 않은지요?"
찬양 예배 때 연주하는 다양한 음색을
찬송가 "나 같은 죄인 살리신"에 적용하여
보다 쉽게 비교하며 각 음색의 연주법을 공부할 수 있습니다.

초보자를 위한 신디사이저

"다양한 기능을 가진 신디사이저, 잘 다루시나요?"
교회에서 신디사이저를 연주하는 이에게 도움을 주는
신디사이저의 주요 기능들을 소개합니다.
친절한 설명과 동영상 강좌를 통해 보다 쉽게 접근할 수 있습니다.

CCM으로 배우는 리하모니제이션

"아름다운 찬양을 연주하고 공부하고 싶은 당신을 위한 책"
주 사랑이 나를 숨쉬게 해, 주품에, 주께와 엎드려 등
주옥같은 찬양에 적용된 반주패턴과 리하모니제이션 기법을
악보와 분석, 그리고 동영상 강좌를 통해 알기 쉽게 설명합니다.

이사우 피아노 연주시리즈 02

사 우 연 주 하 다

hymn

발 행 2019년 1월 20일

발행인 김창원

발행처 **mirutree** (미루트리)
https://www.facebook.com/**mirutreePC**/

등 록 제25100-2016-000011호 (2016.4.15)

주 소 01198 서울시 강북구 삼양로19길 113, 114-102

메 일 **mirutreePC**@gmail.com

팩 스 0505-333-7625

ISBN 979-11-958057-7-8